Texte : Lucie Papineau
Illustrations : Dominique Jol

Bambou à la plage

À PAS DE LOUP
niveau 1

J'apprends à lire

Dominique et compagnie

Données de catalogage avant publication (Canada)

Papineau, Lucie
Bambou à la plage
(À pas de loup. Niveau 1, J'apprends à lire)

ISBN 2-89512-130-3

I. Jolin, Dominique, 1964- . II. Titre. III. Collection.

PS8581.A665B34 2000   jC843'.54   C99-941587-5
PS9581.A665B34 2000
PZ23.P36Ba 2000

Éditrice : Dominique Payette
Directrice de collection :
Lucie Papineau
Direction artistique et graphisme :
Primeau & Barey
Dépôts légaux : 1er trimestre 2000
Bibliothèque nationale du Québec
Bibliothèque nationale du Canada

Dominique et compagnie

300, rue Arran, Saint-Lambert
(Québec) Canada J4R 1K5
Téléphone : (514) 875-0327
Télécopieur : (450) 672-5448
Courriel : info@editionsheritage.com

Imprimé au Canada

10 9 8 7 6 5 4 3

Nous remercions le Conseil des Arts du Canada de l'aide accordée à notre programme de publication, ainsi que la SODEC et le ministère du Patrimoine canadien.

À tous mes amis des Vendémiaires et de Saint-Mathieu-de-Tréviers, où j'ai passé un été fantastique !

Un gros merci...

Lucie Papineau

X

Aujourd'hui, c'est le début des vacances.

Jeanne et sa famille partent en voyage.

Enfin, voilà la plage !

Bambou le petit humain crie : « oooh ! »
Il n'a jamais vu de sable.

Jeanne rit.
Elle dit : « Viens te baigner, Bambou ! »

Bambou crie : « iiih ! »
Il n'a jamais vu l'eau qui bouge.

Papa fabrique un bateau pour le petit humain.

Jeanne et Bambou s'amusent comme des fous.

« Regarde, dit Jeanne, je plonge sous l'eau ! »

Au même moment, une grosse vague
emporte le bateau de Bambou.

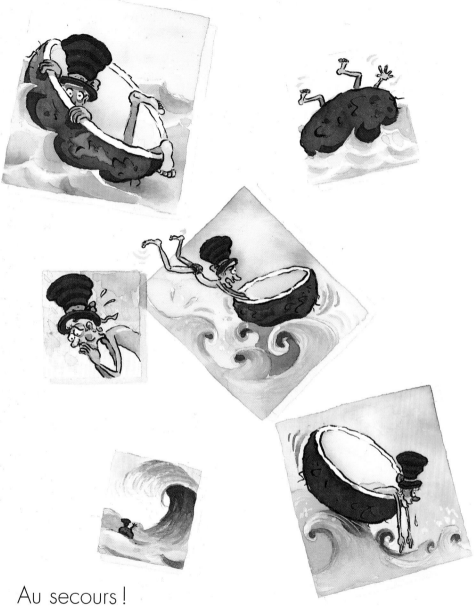

Au secours !
Le petit bateau est ballotté comme
une bouteille à la mer.

Bambou crie : « aaah ! »
Il n'a jamais vu d'île déserte.

Il grimpe sur l'île et
fait le tour du palmier.

Bambou veut attraper le gros papillon rose.
Il tire, et tire...

Mais l'île se met à bouger !
Bambou est soulevé dans les airs.

Oh ! Bambou tombe
et il ne sait pas nager…

Soudain, l'île l'attrape entre ses doigts. « Après tout, pense Bambou, ce n'était peut-être pas une île... »

« Pouah ! dit l'étrange fillette,
une crevette ! »

Elle lance Bambou de toutes ses forces...

au beau milieu d'une course de serpents de mer !

Youpi ! Bambou entre dans la course.

Et il gagne l'étoile d'or !

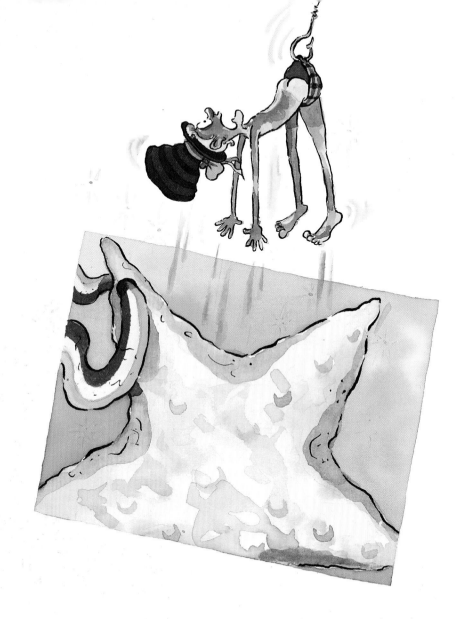

Tout à coup, un pélican l'attrape
par le fond de sa culotte.

Il regarde Bambou et dit :
« Pouah ! Cette crevette est trop cuite ! »

Et plouf ! Bambou toooooooombe...
juste devant Jeanne.

« Tu as vu, mon Bambou ?
Je suis restée 17 secondes sous l'eau ! »

« 17 secondes… vraiment ! » pense Bambou.
Mais maman lance : « Le pique-nique est prêt ! »

Hourra !
Bambou et Jeanne adorent les pique-niques…

FiN !